MATH 6
A TEACHING TEXTBOOK

MATH 6
ANSWER BOOKLET

Greg Sabouri
Shawn Sabouri

Teaching Textbooks, Inc.

Math 6: A Teaching Textbook™
Answer Booklet
Greg Sabouri and Shawn Sabouri

Copyright © 2007 by Teaching Textbooks, Inc.

Printed in the United States of America.

ISBN: 978-0-9797265-1-4

Teaching Textbooks, Inc.
P. O. Box 60529
Oklahoma City, OK 73146
www.teachingtextbooks.com

CHAPTER 1

Practice 1
a. 5 digits
b. thousands
c. 1
d. 907
e. 913,366

Problem Set 1
1. True
2. True
3. False
4. True
5. 4 digits
6. 5 digits
7. 6 digits
8. 6 digits
9. C
10. D
11. 3
12. 7
13. 0
14. 68,901
15. 302,107
16. 348
17. 1,375
18. 24,759
19. 602
20. 673,812

Practice 2
a. 9 hundred thousands
b. 425,311
c. 9,107
d. B
e. D

Problem Set 2
1. False
2. False
3. False
4. 4 digits
5. 6 digits
6. C
7. E
8. 4
9. 9
10. 5,126
11. 943,724
12. 5,919
13. 12,636
14. 317,210
15. 6,704
16. B
17. A
18. D
19. C
20. E

Practice 3
a. 4 ten billions
b. 527,612,037
c. 11,916,264,385
d. E
e. B

Problem Set 3
1. True
2. False
3. 7 digits
4. 12 digits
5. B
6. C
7. 40,632,986
8. 58,476,981,324
9. 9
10. 2
11. 3,931,628
12. 25,643,126
13. 738,812,025
14. 4,362,381,917
15. 18,322,911,748
16. D
17. A
18. E
19. B
20. D

Practice 4
a. 974,320
b. 91,435; 91,535; 101,914
c. 9,999
d. 721,108,374
e. 39,405,117,648

Problem Set 4
1. True
2. True
3. 9,532
4. 876,410
5. $99 < 101$
6. $202 < 220$
7. $3,434 < 4,343$
8. $16,372 > 16,327$
9. $578,421 < 587,421$
10. 581, 815, 851
11. 35,623; 37,923; 100,356
12. 90,143; 143,972; 149,372
13. 999
14. 100
15. C
16. F
17. 0
18. 9
19. 261,802,913
20. 12,704,987,596
21. B
22. E

Practice 5
a. 27
b. 359,174
c. 245,609,150
d. 7,403,860,517
e. E

Problem Set 5
1. True

2. True
3. B
4. A
5. C
6. D
7. 12, 15, 18
8. 35, 45, 55
9. 39,397; 39,837; 101,398
10. 790,989; 800,000; 890,998
11. 40
12. 3,848
13. 53,987
14. 579,036
15. 77,431
16. 997,430
17. $9,897 < 9,987$
18. $46,000 > 45,999$
19. 497,203,510
20. 6,109,470,385
21. E
22. D

Practice 6
a. 14,000
b. 15,000
c. 804,263
d. 40,596,103
e. 6,408,513,770

Problem Set 6
1. False
2. False
3. True
4. 13
5. 90
6. 900
7. 11,000
8. 13,000
9. C
10. A
11. 18, 22, 26
12. 18, 21, 24
13. 16

14. 60
15. 2,234,779
16. 123,346,688
17. 73,150
18. 200,489
19. $8,798 > 8,789$
20. $99,899 < 99,900$
21. 80,137,209
22. 5,907,121,430

Practice 7
a. 100,000
b. 9,000
c. 571,394
d. 32,332; 30,000; 23,232
e. 8,000 coins

Problem Set 7
1. False
2. True
3. 80
4. 120
5. 900
6. 11,000
7. 100,000
8. 9
9. 9
10. 70
11. 500
12. 5,000
13. 7
14. 644,021
15. 935,578
16. 5,254; 5,248; 5,242
17. 55,565; 50,000; 45,556
18. 19
19. 21
20. $1,465 > 1,456$
21. $76,799 < 77,600$
22. $6,000

Quiz 1
1. True
2. False
3. 1
4. 2
5. D
6. E
7. 10,369,408
8. 5,801,231,617
9. 41,763,190,528
10. 75,398
11. 240,821
12. 20
13. 22
14. B
15. D
16. 87,050; 78,196; 78,100
17. 34,443; 40,000; 43,343
18. $7,956 < 7,965$
19. $32,000 > 23,999$
20. 14,000
21. 100,000
22. 400
23. 9,000
24. 22,000 pounds

CHAPTER 2

Practice 8
a. 938,587
b. 659,578
c. 3,802,195,713
d. $44,000 > 43,344$
e. 199,786 consoles

Problem Set 8
1. True
2. True
3. 700
4. 11,000
5. 100,000
6. 200
7. 800
8. 5,000
9. 5,956
10. 95,799
11. 587,895
12. 6,797
13. 186,874
14. 63,918,502
15. 1,706,359,412
16. 33,736
17. 644,227
18. 98,898, 100,000, 109,989
19. 243,060, 234,165, 234,100
20. $73,437 > 73,374$
21. $59,995 < 60,000$
22. 18,877 Moon Clunkers

Practice 9
a. 12,426
b. 14,617
c. 24
d. $87,899 > 87,808$
e. 3,719 pounds

Problem Set 9
1. True
2. False
3. 1,200
4. 13,000
5. 110,000
6. 400
7. 700
8. 70,000
9. 8,498
10. 783
11. 8,647
12. 8,453
13. 10,857
14. 14,637
15. 997,643,210
16. 876,532,110
17. 22, 27, 32
18. 28
19. 23
20. $23,102 < 23,120$
21. $33,200 > 32,399$
22. 8,215 pounds

Practice 10
a. 1,479
b. 93,079
c. 696
d. 52
e. 878 students

Problem Set 10
1. True
2. True
3. 1,200
4. 100,000
5. 800
6. 7,000
7. 9,604
8. 15,245
9. 1,168
10. 1,227
11. 38,241
12. 1,538

13. 4
14. 8
15. 95,735,608
16. 12,401,517,209
17. 24, 32, 40
18. 24, 31, 38
19. 28, 35, 42
20. 18
21. 56
22. 758 billy goats

Practice 11
a. 21,167
b. 6,514
c. $12 = 12$
d. 70, 65, 60
e. 2,533 bags

Problem Set 11
1. True
2. False
3. 17,000
4. 160,000
5. 600
6. 8,000
7. 4,337
8. 112,091
9. 1,377
10. 13,735
11. 22,513
12. 7,156
13. 222
14. 6,421
15. 8,121
16. $56,778 < 56,787$
17. $944,545 < 945,455$
18. $20 = 20$
19. 30, 35, 40
20. 29, 33, 37
21. 70, 60, 50
22. 1,151 seats

Practice 12
a. 136,230

b. 6,338
c. 6,363
d. 24
e. 195 bullfrogs

Problem Set 12

1. True
2. False
3. 14,000
4. 16,000
5. 900
6. 8,000
7. 13,826
8. 78,491
9. 8,427
10. 106,966
11. 82,333
12. 86,996
13. 246
14. 452
15. 6,526
16. 3,498
17. 6,322
18. 5,392
19. 61, 69, 77
20. 65, 58, 51
21. 10
22. 696 kangaroos

14. 129,571
15. 176,765
16. 6,809
17. 9,243
18. 71,664
19. 81,096
20. 8,542
21. 62,918
22. 45, 51, 57
23. 64
24. 131 candles

Quiz 2

1. True
2. True
3. 65,566, 500,000, 506,655
4. 798,003, 789,513, 789,100
5. 23,517,901
6. 204,753,605
7. $322,343 < 323,443$
8. $24 = 24$
9. 1,500
10. 13,000
11. 400
12. 6,000
13. 11,229

CHAPTER 3

Practice 13
a. 862
b. 6×8
c. 13+13+13+13+
   13+13
d. 32 < 35
e. 316 heads of
   lettuce

Problem Set 13
1. True
2. True
3. D
4. A
5. B
6. A
7. 18
8. 35
9. 971
10. 0
11. 4×2
12. 7×6
13. 8×7
14. 9+9+9+9+9
15. 8+8+8+8+8+8
16. 11+11+11+11+11
17. 55, 61, 67
18. 41, 32, 23
19. 53
20. 9 > 8
21. 42 = 42
22. 106 miles

Practice 14
a. 540,000,000
b. 40,000
c. 88,947
d. 44,369
e. $1,800,000

Problem Set 14
1. True

2. True
3. 5×3
4. 7×9
5. 4+4+4+4+4
6. 7+7+7+7+7+7
7. 48
8. 16,000
9. 3,500,000
10. 270,000,000
11. 20,000
12. 79,148,306
13. 605,819,405
14. 10,453
15. 4,884
16. 106,942
17. 53,028
18. 67,786
19. 22,538
20. 20 = 20
21. 48 < 49
22. 2,100,000 pounds

Practice 15
a. 200,000
b. 270
c. 10,487
d. 29,154
e. 125 homes

Problem Set 15
1. True
2. True
3. 5,400,000
4. 18,000,000
5. 560,000,000
6. 300,000
7. 70
8. 160
9. 280
10. 5×27
11. 4×31
12. 75+75+75
13. 64+64+64+
    64+64
14 53

15. 99
16. 12,453
17. 98,983
18. 11,294
19. 12,463
20. 20,233
21. 55,818
22. 121 chickens

Practice 16
a. 7
b. 2,531
c. 34,528
d. 104,527
e. $27

Problem Set 16
1. False
2. True
3. E
4. A
5. B
6. 360,000,000
7. 40,000
8. 200,000
9. 30
10. 120
11. 320
12. 5
13. 6
14. 9
15. 2,884
16. 120,047
17. 37,194
18. 38,573
19. 20,233
20. 407
21. 142,348
22. $13

Practice 17
a. 7,000
b. 0
c. 41,870

d. 470,633
e. 1,894 anteaters

Problem Set 17
1. False
2. False
3. True
4. 12,000
5. 100,000
6. 9
7. 7
8. 8
9. 40
10. 900
11. 3,000
12. 998
13. 0
14. 97
15. 0
16. 2,148
17. 142,597
18. 2,448
19. 84,452
20. 41,652
21. 674,806
22. 641 donuts

18. 90
19. 360
20. 9
21. 70
22. 900
23. 0
24. $23

Quiz 3
1. True
2. True
3. $7+7+7+7+7$
4. $19+19+19+19$
5. 6×8
6. 7×15
7. $16<18$
8. $35=35$
9. 5,093
10. 117,218
11. 19,583
12. 80,960
13. 10,872
14. 324,584
15. 350,000
16. 480,000,000
17. 100,000

CHAPTER 4

Practice 18
a. 18,585
b. 13,926
c. 57,139
d. 80,445
e. 6,405 tickets

Problem Set 18
1. True
2. True
3. 224
4. 387
5. 8,372
6. 8,472
7. 28,208
8. 26,855
9. $79,996 < 80,000$
10. $110,000 > 86,688$
11. 5,835
12. 130,728
13. 54,373
14. 105,124
15. 20,533
16. 210,000
17. 360,000,000
18. 300,000
19. 700
20. 6,000
21. 1,001
22. 7,406 bullets

Practice 19
a. 16,026
b. 52
c. 16,388
d. 26,996
e. 137 contestants

Problem Set 19
1. True
2. True
3. 12,183

4. 150,215
5. 21,243
6. 35,014
7. 39,061
8. 62, 75, 88
9. 55, 40, 25
10. 115
11. 65
12. 420,000,000
13. 400,000
14. 1,881
15. 7,455
16. 7,176
17. 17,544
18. 40,333
19. 38,994
20. 700
21. 9,000
22. 429 actors

Practice 20
a. 69,775
b. 14,280
c. 19,142
d. 235
e. 52,357

Problem Set 20
1. False
2. True
3. 12,000
4. 100,000
5. 14,026
6. 40,212
7. 82,301
8. 40,566
9. 4,500,000
10. 72,000,000
11. 7,348
12. 20,568
13. 32,188
14. 18,213
15. 34,920
16. 15,525
17. 800

18. 60
19. 134
20. 143
21. 241
22. 59,430 people

Practice 21
a. 58,792
b. 413
c. 1,614 R2
d. 653 R3
e. 4,500,000 pounds

Problem Set 21
1. True
2. False
3. 600
4. 9,000
5. 5,203
6. 38,428
7. 82,301
8. 30,342
9. 2,700,000
10. 5,600,000
11. 2,065
12. 9,426
13. 11,180
14. 800
15. 60
16. 143
17. 146
18. 623
19. 163 R1
20. 1,423 R2
21. 734 R2
22. 1,800,000 pounds

Practice 22
a. 10,478
b. 373
c. 2,307
d. 4,008 R1
e. 39 reindeer

Problem Set 22

1. False
2. True
3. C
4. E
5. 54,375
6. 20,457
7. 90,030
8. 50,663
9. 240,000
10. 4,900,000
11. 2,570
12. 14,217
13. 7,548
14. 600
15. 80
16. 3,677
17. 243 R2
18. 448 R1
19. 661 R1
20. 3,204
21. 2,006 R1
22. 47 students

Practice 23

a. 81,838
b. 2,104
c. 162
d. 123 R1
e. 6,713 pounds

Problem Set 23

1. True
2. True
3. 15,736,402
4. 1,304,619,821
5. 33,189
6. 30,564
7. 52,744
8. 10,382
9. 420,000
10. 7,200,000
11. 4,557
12. 24,488
13. 40,075
14. 300
15. 80
16. 542 R3
17. 1,307
18. 2,307 R1
19. 11 R7
20. 142
21. 121 R4
22. 1,411 pounds

Practice 24

a. 34,440
b. 172,556
c. 12 R2
d. 121 R7
e. 349 flute players

Problem Set 24

1. True
2. True
3. $94,949 < 101,000$
4. $30 = 30$
5. 90, 116, 142
6. 51, 27, 3
7. 13,715
8. 56,424
9. 78,258
10. 48,392
11. 55,215
12. 15,834
13. 26,360
14. 83,304
15. 254,395
16. 32
17. 342 R4
18. 2,109
19. 1,308 R2
20. 12 R3
21. 122 R3
22. 136 alligator wrestlers

Quiz 4

1. True
2. True
3. C
4. B
5. 127
6. 57
7. 86,015
8. 90,375
9. 31,365
10. 52,883
11. 46,114
12. 4,500,000
13. 6,300,000
14. 25,722
15. 1,728
16. 17,646
17. 332,316
18. 900
19. 90
20. 774 R4
21. 3,209
22. 12 R2
23. 122
24. 400,000 soldiers

CHAPTER 5

Practice 25
a. 5:19 a.m.
b. 12:30 p.m.
c. 1,006
d. 122 R3
e. 5,224 troop carriers

Problem Set 25
1. False
2. False
3. 60 minutes
4. 240 minutes
5. 9:14 p.m.
6. 7:28 a.m.
7. 2:43 a.m.
8. 5:10 a.m.
9. 8:15 p.m.
10. 2,899
11. 41,374
12. 81,221
13. 43,875
14. 43,854
15. 7,560
16. 2,590
17. 15,478
18. 238
19. 257 R3
20. 2,004
21. 121 R3
22. 4,140 bazooka rockets

Practice 26
a. 70 years
b. 145 years
c. 384,498
d. 162
e. 381 laptops

Problem Set 26
1. True
2. False
3. 50 years
4. 20 years
5. 230 years
6. 300 minutes
7. 11:34 p.m.
8. 4:27 a.m.
9. 3:20 p.m.
10. 11:25 a.m.
11. 4,500,000
12. 6,300,000
13. 2,150
14. 7,552
15. 87,296
16. 7,000
17. 70
18. 249 R2
19. 2,159
20. 3,175 R1
21. 127
22. 464 marionettes

Practice 27
a. 415,996
b. 2,428 R3
c. 186
d. 3,006 cartons
e. 17 samples

Problem Set 27
1. True
2. True
3. 100 years
4. 140 years
5. 120,812
6. 24,824
7. 100,800
8. 55,462
9. 350,000
10. 4,800,000
11. 28,581
12. 4,958
13. 14,287
14. 233,934
15. 6,000
16. 70
17. 28
18. 1,936 R2
19. 164
20. $447
21. 1,666 bags
22. 13 key chains

Practice 28
a. 233,934
b. 351
c. 122 R2
d. 15 super-computers
e. 19 years old

Problem Set 28
1. True
2. False
3. 63,219,804
4. 18,396,527,413
5. 15,000
6. 9,000
7. 600
8. 2,511
9. 8,961
10. 60,733
11. 51,990
12. 10,813
13. 49,544
14. 12,000
15. 104,667
16. 548 R1
17. 371
18. 121 R6
19. 175 cups
20. 14 cheese logs
21. 16 surprises
22. 9 years old

Practice 29
a. 63,854
b. 415
c. 167 R5

d. 43 pages
e. 16 applicants

Problem Set 29
1. True
2. True
3. $786,867 > 786,687$
4. $94,545 < 100,010$
5. 88,112
6. 34,358
7. 86,636
8. 94,633
9. 240,000
10. 3,200,000
11. 4,278
12. 50,160
13. 152,295
14. 500
15. 90
16. 173
17. 213
18. 178 R4
19. 1,008 cookies
20. 47 fly balls
21. 34 eggs
22. 19 applicants

Practice 30
a. 8,000
b. 1,600
c. 1,206 R1
d. $29
e. 171 strikeouts

Problem Set 30
1. True
2. True
3. 3,000
4. 14,100
5. 6,800
6. 7,000
7. 1,000
8. 9,000
9. 1,500,000

10. 6,300,000
11. 2,748
12. 24,446
13. 98,165
14. 40
15. 9,000
16. 38
17. 2,981 R1
18. 2,309 R2
19. 132 castles
20. $37
21. 26 fluffs
22. 24 sacks

Practice 31
a. 6,900
b. 288,548
c. 245 R11
d. 455 R7
e. 26 paper clips

Problem Set 31
1. True
2. True
3. 5,400
4. 8,000
5. 9,000
6. 8,800
7. 148,144
8. 10,903
9. 81,032
10. 88,415
11. 90,396
12. 4,275
13. 13,237
14. 186,938
15. 400
16. 80
17. 29
18. 374 R2
19. 323 R5
20. 413 R2
21. 232 robot paratroopers

22. 24 spotless ladybugs

Quiz 5
1. True
2. True
3. 2,000
4. 43,700
5. 1,100
6. 14,000
7. 2,465
8. 51,044
9. 71,000
10. 74,416
11. 1,800,000
12. 50
13. 59,514
14. 3,384
15. 25,896
16. 152,184
17. 35 R4
18. 2,106
19. 158 R2
20. 342
21. 450 golf balls
22. 44 grams
23. $25
24. 15 sharks

CHAPTER 6

Practice 32

a. $\dfrac{1}{5}$

b. $\dfrac{1}{6}$

c. 440 R5

d. 344 R9

e. 9 trips

Problem Set 32

1. True
2. True
3. 27,400
4. 12,000
5. 172 eagle messengers
6. 32 dragonflies
7. $\dfrac{1}{2}$
8. $\dfrac{1}{4}$
9. $\dfrac{1}{3}$
10. $\dfrac{1}{5}$
11. 37,294
12. 2,336
13. 60,369
14. 52,243
15. 22,892
16. 425
17. 13,662
18. 377,986
19. 37
20. 550 R4
21. 343 R7
22. 12 trips

Practice 33

a. $\dfrac{3}{7}$

b. $\dfrac{3}{5}$

c. 2,755 R2

d. 14 R4

e. 2,574 pairs

Problem Set 33

1. False
2. True
3. 40,000
4. 7,100
5. 19 matchsticks
6. 50 alleyways
7. $\dfrac{1}{2}$
8. $\dfrac{2}{3}$
9. $\dfrac{3}{4}$
10. $\dfrac{2}{5}$
11. $\dfrac{1}{4}$
12. 43,697
13. 40,505
14. 99,006
15. 63,674
16. 8,073
17. 3,854
18. 35,847
19. 98
20. 1,899 R2
21. 12 R1
22. 3,200 potato beds

Practice 34

a. 763 R8

b. 323 R2

c. $\dfrac{5}{6}$

d. $\dfrac{10}{21}$; No

e. 13,423 people

Problem Set 34

1. True
2. True
3. 26,397,538
4. 7,113,409,618
5. 3,468
6. 31,614
7. 34,275
8. 93,854
9. 17,706
10. 3,196
11. 416,185
12. 84
13. 547 R6
14. 431 R5
15. 14 players
16. $\dfrac{3}{4}$
17. $\dfrac{3}{8}$
18. $\dfrac{5}{8}$
19. $\dfrac{3}{6}$; Yes
20. $\dfrac{8}{20}$; Yes
21. $\dfrac{21}{16}$; No
22. 11,124 people

Practice 35

a. 50 R10

b. $\dfrac{12}{27}$; Yes

c. $\dfrac{1}{4}$; Yes

d. $\dfrac{5}{6} = \dfrac{10}{12}$

e. 22 seats

Problem Set 35

1. True
2. True

11

3. 63,700
4. 111,000
5. 180 nutty squirrels
6. 8,312 people
7. 7,624
8. 5,106
9. 49,383
10. 87 R3
11. 519
12. 40 R10
13. $\dfrac{3}{5}$
14. $\dfrac{4}{7}$
15. $\dfrac{5}{6}$
16. $\dfrac{4}{12}$; No
17. $\dfrac{15}{35}$; Yes
18. $\dfrac{1}{3}$; Yes
19. $\dfrac{1}{2} = \dfrac{3}{6}$
20. $\dfrac{2}{8} = \dfrac{1}{4}$
21. $\dfrac{3}{4} = \dfrac{15}{20}$
22. 16 shrubs

Practice 36
a. 3,209
b. 32 R7
c. $\dfrac{1}{3} = \dfrac{4}{12}$
d. $\dfrac{1}{3}$
e. 443 tape dispensers

Problem Set 36
1. True

2. True
3. 2,001
4. 73,353
5. 83,532
6. 61,486
7. 16,458
8. 27,855
9. 86 R5
10. 4,208
11. 32 R7
12. $\dfrac{4}{5}$
13. $\dfrac{5}{8}$
14. $\dfrac{1}{6}$
15. $\dfrac{6}{8}$; Yes
16. $\dfrac{1}{2}$; Yes
17. $\dfrac{3}{14}$; No
18. $\dfrac{4}{8} = \dfrac{1}{2}$
19. $\dfrac{1}{7} = \dfrac{2}{14}$
20. $\dfrac{1}{2}$
21. $\dfrac{1}{3}$
22. 214 pencil sharpeners

Practice 37
a. 23 R4
b. $\dfrac{3}{27} = \dfrac{1}{9}$
c. $\dfrac{1}{7}$
d. $\dfrac{1}{4} < \dfrac{6}{8}$
e. 2,250 sesame buns

Problem Set 37
1. True
2. True
3. 58,000
4. 130,000
5. 2,669 Christmas lights
6. 85
7. 2,382
8. 1,392
9. 29,516
10. 93
11. 481 R3
12. 32 R8
13. $\dfrac{1}{7}$; Yes
14. $\dfrac{6}{10}$; No
15. $\dfrac{1}{4} = \dfrac{3}{12}$
16. $\dfrac{1}{5} = \dfrac{3}{15}$
17. $\dfrac{1}{5}$
18. $\dfrac{2}{3}$
19. $\dfrac{2}{4} < \dfrac{3}{4}$
20. $\dfrac{7}{8} > \dfrac{3}{8}$
21. $\dfrac{4}{6} > \dfrac{1}{3}$
22. 1,508 laser tag glove sets

Quiz 6
1. True
2. True
3. 43,800
4. 122,000
5. $245
6. $6

7. 86 aircraft
8. 30,632
9. 3,038
10. 117,066
11. 87 R2
12. 953 R1
13. 231 R5
14. $\dfrac{5}{6}$
15. $\dfrac{5}{8}$
16. $\dfrac{1}{9}$; Yes
17. $\dfrac{6}{20}$; No
18. $\dfrac{1}{5} = \dfrac{2}{10}$
19. $\dfrac{3}{18} = \dfrac{1}{6}$
20. $\dfrac{1}{3}$
21. $\dfrac{3}{4}$
22. $\dfrac{3}{5} < \dfrac{4}{5}$
23. $\dfrac{3}{7} > \dfrac{2}{14}$
24. 24 gallons

CHAPTER 7

Practice 38
a. 232 R4

b. $\dfrac{3}{4}$

c. $\dfrac{3}{5} = \dfrac{9}{15}$

d. $3\dfrac{2}{3}$

e. $1\dfrac{1}{2}$ cantaloupe

Problem Set 38
1. True
2. False
3. 10,117
4. 1,555
5. 16,395
6. 56,916
7. 98 R2
8. 231 R5
9. $\dfrac{12}{21}$; Yes
10. $\dfrac{3}{4}$; No
11. $\dfrac{6}{9} = \dfrac{2}{3}$
12. $\dfrac{4}{5} = \dfrac{12}{15}$
13. $\dfrac{1}{3}$
14. $\dfrac{2}{5}$
15. $\dfrac{5}{7} > \dfrac{3}{7}$
16. $\dfrac{6}{10} > \dfrac{2}{5}$
17. $\dfrac{9}{12} = \dfrac{3}{4}$
18. $2\dfrac{1}{2}$

19. $1\dfrac{1}{4}$

20. $3\dfrac{3}{8}$

21. $2\dfrac{5}{6}$

22. $4\dfrac{1}{2}$ pieces

Practice 39
a. $4\dfrac{3}{7}$

b. $\dfrac{5}{6}$

c. $\dfrac{4}{9}$

d. $\dfrac{2}{9} < \dfrac{1}{3}$

e. $5\dfrac{2}{3}$ pizzas

Problem Set 39
1. False
2. True
3. 10,456
4. 62,266
5. 1,593
6. 76,260
7. 76
8. 721
9. $3\dfrac{1}{2}$
10. $4\dfrac{3}{4}$
11. $4\dfrac{5}{6}$
12. $\dfrac{15}{16}$; No
13. $\dfrac{3}{7}$; Yes

14. $\dfrac{2}{5}$

15. $\dfrac{3}{4}$

16. $\dfrac{1}{5}$

17. $\dfrac{3}{7}$

18. $\dfrac{2}{9} < \dfrac{5}{9}$

19. $\dfrac{1}{2} > \dfrac{3}{8}$

20. $1\dfrac{3}{8}$

21. $2\dfrac{2}{3}$

22. $4\dfrac{2}{3}$ gallons

Practice 40
a. $6\dfrac{5}{6}$

b. Improper

c. $\dfrac{4}{3} > \dfrac{19}{18}$

d. $\dfrac{19}{8}$

e. $6\dfrac{2}{3}$ ounces

Problem Set 40
1. False
2. True
3. True
4. 20,692
5. 50,550
6. 324
7. 476
8. $3\dfrac{1}{3}$

9. $2\frac{5}{7}$

10. $6\frac{2}{5}$

11. 78 players

12. 87

13. Proper

14. Improper

15. $\frac{1}{3}$

16. $\frac{4}{7}$

17. $\frac{5}{5}=1$

18. $\frac{9}{8}>1$

19. $\frac{14}{14}<\frac{3}{2}$

20. $\frac{3}{2}$

21. $\frac{11}{4}$

22. $5\frac{1}{3}$ gallons

Practice 41

a. 796

b. $\frac{1}{3}$

c. $\frac{24}{16}<\frac{7}{4}$

d. $3\frac{2}{5}$

e. 111 people

Problem Set 41

1. True
2. True
3. 158,468
4. 10,822
5. 1,000
6. 515,840

7. $4\frac{3}{8}$

8. 953

9. $7\frac{5}{6}$

10. 647

11. Improper

12. Proper

13. $\frac{1}{3}$

14. $\frac{1}{4}$

15. $\frac{2}{3}$

16. $\frac{2}{9}$

17. $\frac{7}{8}<1$

18. $\frac{5}{2}>\frac{25}{12}$

19. $1\frac{1}{2}$

20. $2\frac{1}{4}$

21. $4\frac{2}{3}$

22. 124 people

Practice 42

a. $62\frac{3}{4}$

b. $12\frac{6}{19}$

c. $5\frac{2}{5}>\frac{26}{5}$

d. 13 : 8

e. $41

Problem Set 42

1. True
2. True
3. 4,038

4. 21,978

5. 184

6. $52\frac{1}{5}$

7. $13\frac{5}{18}$

8. Proper

9. Improper

10. $\frac{2}{3}=\frac{8}{12}$

11. $\frac{4}{18}=\frac{2}{9}$

12. $1\frac{1}{5}$

13. $2\frac{7}{10}$

14. $5\frac{1}{3}$

15. $3\frac{4}{7}$

16. $\frac{2}{7}<\frac{5}{14}$

17. $4\frac{2}{3}>\frac{13}{3}$

18. 15 : 4

19. 2 : 9

20. 5 : 16

21. 11 : 6

22. $21

Quiz 7

1. True
2. False
3. 12,471
4. 1,833
5. 129,600
6. 1,025
7. 122

8. $4\frac{4}{7}$

9. $53\frac{1}{4}$

10. Improper
11. Proper
12. $\dfrac{1}{7}$
13. $\dfrac{1}{3}$
14. $\dfrac{3}{4}$
15. $\dfrac{2}{5}$
16. $\dfrac{5}{3}$
17. $\dfrac{11}{4}$
18. $3\dfrac{1}{2}$
19. $2\dfrac{5}{6}$
20. $\dfrac{7}{10} > \dfrac{3}{5}$
21. $\dfrac{9}{4} < 2\dfrac{1}{3}$
22. 7 : 18
23. 16 : 9
24. 57 members

CHAPTER 8

Practice 43

a. 1, 2, 3, 6, 9, 18

b. $572\frac{5}{6}$

c. $13\frac{5}{18}$

d. $\frac{8}{14}$

e. $5\frac{1}{4}$ feet

Problem Set 43

1. True
2. True
3. 1, 2, 3, 6
4. 1, 2, 7, 14
5. 1, 3, 7, 21
6. 82,214
7. 30,182
8. 1,730
9. 28,455
10. 642
11. 13
12. $17\frac{1}{3}$
13. $34\frac{1}{4}$
14. $\frac{5}{6}$
15. $\frac{2}{7}$
16. $\frac{3}{2}$
17. $\frac{3}{5}$
18. $\frac{4}{10} < \frac{2}{3}$
19. $\frac{7}{12} < \frac{3}{4}$
20. 3 : 10
21. 7 : 5

22. $3\frac{3}{5}$ feet

Practice 44

a. 14

b. $23\frac{3}{7}$

c. 1, 2, 4

d. 5

e. 814 warriors

Problem Set 44

1. False
2. True
3. 2,094
4. 1,428
5. 207
6. 15
7. $47\frac{1}{2}$
8. $26\frac{4}{5}$
9. 1, 2, 4, 8
10. 1, 3, 9
11. 1, 3, 5, 15
12. 1, 2, 4
13. 1, 3
14. 8
15. 5
16. $\frac{1}{2}$
17. $\frac{3}{7}$
18. $2\frac{2}{3}$
19. $3\frac{5}{8}$
20. $\frac{3}{2} > \frac{5}{4}$
21. $\frac{5}{3} = 1\frac{2}{3}$
22. 411 officers

Practice 45

a. $13\frac{7}{16}$

b. $\frac{2}{3}$

c. $\frac{3}{5}$

d. $2\frac{3}{5} > 1\frac{4}{5}$

e. 34 pages

Problem Set 45

1. True
2. True
3. 84,000
4. 500
5. 29,312
6. 10,830
7. 737
8. 23
9. $27\frac{4}{5}$
10. $13\frac{1}{11}$
11. $\frac{1}{4}$
12. $\frac{2}{5}$
13. $\frac{1}{2}$
14. 1, 2, 11, 22
15. 1, 2, 3, 5, 6, 10, 15, 30
16. $\frac{3}{5}, \frac{12}{20}$
17. $\frac{3}{4}, \frac{6}{8}$
18. $\frac{3}{12} = \frac{1}{4}$
19. $1\frac{1}{3} < 1\frac{2}{3}$
20. 31 : 15

21. 6 : 17
22. 57 pages

Practice 46
a. No
b. $26\frac{1}{6}$
c. $\frac{3}{5}$
d. $\frac{9}{27} < \frac{1}{2}$
e. 90

Problem Set 46
1. True
2. False
3. No
4. No
5. Yes
6. 6,211
7. 5,634
8. 23
9. 2,405
10. $27\frac{2}{3}$
11. $35\frac{5}{8}$
12. 1, 2, 4, 8, 16
13. 1, 3, 9, 27
14. 1, 2, 4
15. 1, 2, 3, 6
16. 3
17. 6
18. $\frac{1}{3}$
19. $\frac{2}{5}$
20. $\frac{5}{3} < \frac{11}{6}$
21. $\frac{7}{14} > \frac{1}{4}$
22. 92

Practice 47
a. 7, 17, 19
b. 16
c. 15
d. $\frac{3}{4}$
e. 13 feet

Problem Set 47
1. True
2. True
3. 2, 3, 11
4. 7, 13
5. 3,915
6. 63,114
7. 210
8. 14
9. $24\frac{3}{4}$
10. $17\frac{5}{6}$
11. 1, 3, 7, 21
12. 1, 2, 4, 8, 16, 32
13. $\frac{1}{5}$
14. $\frac{3}{4}$
15. 6
16. 12
17. 10
18. $\frac{2}{3}$
19. $\frac{1}{5}$
20. $\frac{5}{6} > \frac{11}{18}$
21. $1\frac{2}{5} < 2\frac{1}{5}$
22. 14 inches

Quiz 8
1. True
2. True

3. 5, 7
4. 3, 11, 13
5. 1,482
6. 24,089
7. 691
8. 16
9. $15\frac{5}{6}$
10. $23\frac{5}{8}$
11. 1, 2, 4, 8
12. 1, 2, 4, 5, 10, 20
13. $\frac{2}{3}$
14. $\frac{1}{2}$
15. 18
16. 30
17. 15
18. $3\frac{1}{4}$
19. $2\frac{2}{3}$
20. $\frac{2}{3} = \frac{8}{12}$
21. $\frac{9}{24} > \frac{1}{3}$
22. 21 : 10
23. 2 : 3
24. 4,864 vases

CHAPTER 9

Practice 48
a. 31 R19

b. $6\frac{4}{9} > 5\frac{8}{9}$

c. $\frac{8}{9}$

d. $\frac{3}{7}$

e. $\frac{4}{5}$ of the cake

Problem Set 48
1. True
2. True
3. 37
4. 21 R17
5. $18\frac{1}{5}$
6. $53\frac{2}{7}$
7. 3
8. 8
9. $\frac{2}{5}$
10. $\frac{2}{3}$
11. 8
12. 42
13. $\frac{2}{7} > \frac{5}{21}$
14. $2\frac{1}{8} = \frac{17}{8}$
15. $3\frac{5}{9} < 4\frac{2}{9}$
16. $\frac{4}{5}$
17. $\frac{6}{7}$
18. $\frac{5}{9}$

19. $\frac{1}{3}$

20. $\frac{2}{5}$

21. $\frac{2}{7}$

22. $\frac{7}{9}$ of the pizza

Practice 49
a. 32

b. $\frac{3}{5}$

c. $11\frac{1}{3}$

d. $4\frac{2}{3}$

e. 14 cattle

Problem Set 49
1. True
2. True
3. 12,740
4. 23,972
5. 1,532
6. 32
7. $14\frac{5}{6}$
8. $73\frac{2}{9}$
9. 1, 5
10. 1, 2, 4, 8
11. $\frac{1}{4}$
12. $\frac{3}{5}$
13. $\frac{2}{7}$
14. $\frac{3}{5}$
15. $\frac{4}{7}$

16. $\frac{5}{6}$

17. $\frac{4}{9}$

18. $7\frac{5}{7}$

19. $10\frac{1}{2}$

20. $4\frac{3}{5}$

21. $5\frac{1}{3}$

22. 19 people

Practice 50
a. $\frac{15}{8}$

b. $\frac{1}{2}$

c. $\frac{4}{9}$

d. $\frac{1}{8}$

e. $\frac{3}{5}$ of a pound

Problem Set 50
1. True
2. False
3. 5,157
4. 624
5. 87
6. 1,023
7. 6
8. 36
9. $\frac{3}{4}$
10. $1\frac{5}{7}$
11. $\frac{3}{7} > \frac{8}{21}$

12. $4\frac{3}{5} > 3\frac{4}{5}$

13. $\frac{7}{9}$

14. $\frac{2}{7}$

15. $\frac{3}{4}$

16. $\frac{1}{3}$

17. $\frac{3}{8}$

18. $\frac{1}{6}$

19. $5\frac{3}{5}$

20. $8\frac{4}{7}$

21. $4\frac{2}{9}$

22. $\frac{5}{9}$ of a pound

Practice 51

a. $16\frac{5}{14}$

b. $\frac{1}{2}$

c. $9\frac{2}{3}$

d. $\frac{1}{3}$

e. 91 years old

Problem Set 51

1. True
2. True
3. 2, 11
4. 5, 13, 19
5. 5,440
6. 10,353

7. $19\frac{1}{5}$

8. $12\frac{1}{11}$

9. 1, 5, 7, 35
10. 1, 2, 4, 8, 16

11. $\frac{2}{3}$

12. $\frac{4}{5}$

13. $\frac{10}{24}, \frac{5}{12}$

14. $1\frac{1}{4}, \frac{5}{4}$

15. 1

16. $9\frac{2}{5}$

17. $\frac{1}{12}$

18. $8\frac{1}{2}$

19. $\frac{9}{14}$

20. $\frac{8}{15}$

21. $\frac{2}{3}$

22. 87 years old

Practice 52

a. 70

b. $5\frac{7}{16}$

c. $\frac{23}{10}$

d. $\frac{11}{4}$

e. 13 players

Problem Set 52

1. True

2. True
3. 29,868
4. 64,715
5. 605
6. 237
7. 30
8. 28

9. $\frac{26}{35} < \frac{4}{5}$

10. $\frac{11}{6} = 1\frac{5}{6}$

11. $27\frac{4}{7}$

12. $\frac{7}{15}$

13. $1\frac{2}{3}$

14. $2\frac{8}{11}$

15. $\frac{1}{10}$

16. $\frac{11}{4}$

17. $\frac{11}{3}$

18. $\frac{11}{10}$

19. $\frac{3}{2}$

20. $\frac{7}{2}$

21. $\frac{9}{4}$

22. 15 members

Practice 53

a. $38\frac{4}{9}$

b. $\frac{9}{8}$

c. 5

d. $5\frac{4}{7}$

e. $21

Problem Set 53

1. True
2. True
3. 7, 17
4. 5, 11, 13
5. 3,488
6. 2,175
7. $16\frac{3}{4}$
8. $39\frac{2}{7}$
9. 1, 2, 4
10. 1, 7
11. $\frac{1}{6}$
12. $\frac{6}{5}$
13. $\frac{10}{3}$
14. $\frac{21}{8}$
15. $\frac{5}{3}$
16. $\frac{13}{5}$
17. $\frac{1}{3}$
18. $\frac{1}{14}$
19. 4
20. $2\frac{1}{10}$
21. $5\frac{3}{5}$
22. $61

2. True
3. 25,758
4. 15,519
5. 34
6. 35
7. $24\frac{1}{4}$
8. $43\frac{7}{8}$
9. 4
10. 6
11. $\frac{2}{3}$
12. $\frac{15}{4}$
13. $\frac{3}{5} > \frac{14}{25}$
14. $1\frac{3}{10} = \frac{13}{10}$
15. $\frac{8}{3}$
16. $\frac{17}{10}$
17. $\frac{4}{3}$
18. $\frac{14}{5}$
19. $\frac{5}{11}$
20. $\frac{9}{16}$
21. 2
22. $6\frac{6}{7}$
23. $2\frac{5}{9}$
24. 2,432 people

Quiz 9

1. True

21

CHAPTER 10

Practice 54

a. $\dfrac{3}{14}$

b. 7

c. $\dfrac{1}{6}$

d. $\dfrac{1}{7}$

e. $\dfrac{1}{8}$ of the whole pizza

Problem Set 54

1. False
2. True
3. 1,416
4. 73,780
5. 787
6. 107
7. $\dfrac{1}{6}$
8. $\dfrac{2}{3}$
9. $\dfrac{0}{6} = 0$
10. $1\dfrac{1}{7} < \dfrac{9}{7}$
11. $\dfrac{7}{4}$
12. $\dfrac{11}{5}$
13. $\dfrac{4}{9}$
14. $\dfrac{2}{15}$
15. 5
16. $\dfrac{1}{6}$
17. $\dfrac{3}{20}$
18. $\dfrac{1}{5}$
19. $\dfrac{1}{8}$
20. $\dfrac{2}{15}$
21. $\dfrac{1}{7}$
22. $\dfrac{3}{10}$ of the whole pie

Practice 55

a. $23\dfrac{1}{19}$

b. $\dfrac{1}{2}$

c. 9

d. $\dfrac{5}{12}$

e. 8 quarts of syrup

Problem Set 55

1. True
2. True
3. 44,935
4. 18,612
5. $14\dfrac{5}{6}$
6. $23\dfrac{11}{17}$
7. $\dfrac{1}{4}$
8. $\dfrac{7}{3}$
9. 12
10. 14
11. $\dfrac{5}{4}$
12. $\dfrac{17}{6}$
13. $\dfrac{9}{11}$
14. $5\dfrac{3}{5}$
15. $\dfrac{1}{20}$
16. $\dfrac{1}{8}$
17. $\dfrac{2}{15}$
18. $\dfrac{1}{2}$
19. 3
20. 8
21. $\dfrac{2}{9}$
22. 6 quarts of water

Practice 56

a. $\dfrac{8}{35}$

b. 6

c. 1

d. 10

e. 476 peanut clusters

Problem Set 56

1. True
2. False
3. 78
4. 1,240
5. $\dfrac{3}{4} > \dfrac{11}{16}$
6. $\dfrac{13}{6} > 1\dfrac{5}{6}$
7. $\dfrac{5}{12}$
8. $2\dfrac{5}{9}$
9. $\dfrac{1}{12}$

10. $\dfrac{6}{35}$

11. $\dfrac{2}{15}$

12. $\dfrac{10}{21}$

13. 2

14. $\dfrac{3}{8}$

15. 6

16. $\dfrac{5}{4}$

17. $\dfrac{1}{6}$

18. 1

19. 15

20. $5\dfrac{1}{4}$

21. 8

22. 416 cherry chocolates

Practice 57

a. $43\dfrac{6}{19}$

b. 10

c. $1\dfrac{5}{7}$

d. $\dfrac{1}{12}$

e. 22 pearls

Problem Set 57

1. False
2. True
3. $13\dfrac{5}{7}$
4. $32\dfrac{4}{19}$
5. $\dfrac{5}{18}$

6. $2\dfrac{4}{5}$

7. $\dfrac{5}{3}$

8. $\dfrac{14}{5}$

9. 9

10. $6\dfrac{2}{5}$

11. $5\dfrac{7}{9}$

12. $\dfrac{1}{20}$

13. $\dfrac{1}{4}$

14. 4

15. $\dfrac{1}{2}$

16. 8

17. $\dfrac{17}{3}$

18. 1

19. 10

20. $1\dfrac{1}{5}$

21. $\dfrac{1}{12}$

22. 21 wins

Practice 58

a. $\dfrac{3}{32}$

b. $\dfrac{1}{7}$

c. $9\dfrac{5}{8}$

d. $1\dfrac{1}{27}$

e. 1,512 people

Problem Set 58

1. True
2. True
3. 1,146
4. 203
5. $\dfrac{4}{5}$
6. $\dfrac{17}{4}$
7. $\dfrac{15}{19}$
8. $5\dfrac{4}{7}$
9. $\dfrac{13}{24}$
10. $\dfrac{6}{49}$
11. $\dfrac{1}{3}$
12. 36
13. $\dfrac{1}{6}$
14. 7
15. 1
16. 2
17. $2\dfrac{1}{4}$
18. $6\dfrac{2}{9}$
19. 1
20. $1\dfrac{1}{15}$
21. $1\dfrac{3}{22}$
22. 4,211 people

Quiz 10

1. True
2. True
3. $14\dfrac{3}{5}$

4. $35\dfrac{16}{17}$

5. $\dfrac{7}{9} < \dfrac{22}{27}$

6. $\dfrac{19}{8} > 2\dfrac{1}{8}$

7. $\dfrac{8}{17}$

8. $2\dfrac{4}{9}$

9. $6\dfrac{2}{3}$

10. $\dfrac{3}{20}$

11. $\dfrac{1}{6}$

12. 6

13. $\dfrac{5}{12}$

14. $\dfrac{1}{6}$

15. 24

16. $\dfrac{3}{10}$

17. $\dfrac{6}{35}$

18. $\dfrac{9}{7}$

19. 1

20. $4\dfrac{3}{8}$

21. 2

22. $1\dfrac{1}{8}$

23. $1\dfrac{1}{20}$

24. $58

CHAPTER 11

Practice 59

a. $\dfrac{1}{6}$

b. $3\dfrac{8}{9}$

c. $\dfrac{4}{15}$

d. $\dfrac{7}{9}$ of the jug

e. 76 years old

Problem Set 59

1. True
2. False
3. $\dfrac{3}{4}$
4. $\dfrac{4}{7}$
5. $\dfrac{5}{5} < \dfrac{6}{5}$
6. $\dfrac{4}{9} > \dfrac{11}{27}$
7. 6
8. $1\dfrac{3}{8}$
9. $\dfrac{1}{8}$
10. $\dfrac{7}{12}$
11. $\dfrac{15}{28}$
12. 8
13. $2\dfrac{5}{8}$
14. $\dfrac{4}{21}$
15. $\dfrac{18}{35}$
16. $\dfrac{1}{15}$
17. 8
18. $\dfrac{6}{7}$
19. $\dfrac{3}{8}$
20. 17 cuckoo clocks
21. $\dfrac{5}{7}$ of the pot
22. 81 years old

Practice 60

a. $\dfrac{2}{3}$

b. $9\dfrac{6}{7}$

c. $2\dfrac{1}{10}$

d. 88

e. $\dfrac{1}{16}$

Problem Set 60

1. True
2. True
3. 28,652
4. 12,447
5. 72
6. 1,153
7. $\dfrac{5}{3}$
8. $\dfrac{19}{7}$
9. $\dfrac{7}{8}$
10. $\dfrac{6}{11}$
11. $\dfrac{1}{5}$
12. $10\dfrac{3}{5}$
13. 345 stones
14. 9 stacks
15. $\dfrac{6}{7}$
16. $\dfrac{5}{48}$
17. 9
18. $\dfrac{10}{11}$
19. $\dfrac{1}{24}$
20. $1\dfrac{7}{9}$
21. 84
22. $\dfrac{1}{350}$

Practice 61

a. $6\dfrac{1}{3}$

b. $\dfrac{7}{8}$

c. $6\dfrac{6}{7}$

d. $\dfrac{1}{4}$ of the judges

e. $\dfrac{3}{7}$ of the readers

Problem Set 61

1. True
2. True
3. 12
4. 24
5. $\dfrac{7}{10}$
6. $\dfrac{7}{4}$
7. $\dfrac{11}{13}$
8. $\dfrac{1}{6}$

9. $1\frac{7}{9}$

10. $5\frac{1}{2}$

11. $\frac{8}{9}$

12. $\frac{3}{35}$

13. $\frac{5}{9}$

14. $\frac{8}{3}$

15. $\frac{1}{5}$

16. 6 trips

17. 112 carrots

18. 12

19. $\frac{6}{7}$

20. $4\frac{4}{5}$

21. $\frac{1}{3}$ of the people

22. $\frac{4}{5}$ of the readers

Practice 62

a. $8 : 35$

b. $\frac{17}{4} > 3\frac{3}{4}$

c. $\frac{3}{7}$

d. $\frac{4}{15}$ of the whole pie

e. $12,000

Problem Set 62

1. True
2. True

3. $19\frac{3}{4}$

4. $23\frac{7}{18}$

5. $4:9$

6. $7:11$

7. 2

8. 9

9. $\frac{4}{7} = \frac{8}{14}$

10. $\frac{10}{3} < 3\frac{2}{3}$

11. $\frac{7}{8}$

12. $9\frac{3}{5}$

13. 840 drinking birds

14. $\frac{2}{7}$ of the bungee jumpers

15. $\frac{3}{16}$

16. $\frac{8}{63}$

17. 8

18. $\frac{2}{15}$

19. $\frac{21}{44}$

20. $\frac{3}{7}$

21. $\frac{9}{20}$ of the pecan pie

22. $12,000

Practice 63

a. $2\frac{2}{7}$

b. $4\frac{3}{8}$

c. $\frac{2}{3}$

d. 3,111 people

e. 29 pounds

Problem Set 63

1. True
2. False
3. 20,445
4. 6,678

5. $\frac{1}{6}$

6. $\frac{3}{4}$

7. $2\frac{1}{4}$

8. $3\frac{2}{7}$

9. 1

10. $1\frac{5}{9}$

11. $\frac{5}{14}$

12. $\frac{8}{45}$

13. $4\frac{1}{6}$

14. 24 anti-snore devices

15. 21 members

16. $\frac{3}{32}$

17. $\frac{12}{35}$

18. 36

19. $\frac{8}{9}$

20. $\frac{3}{4}$

21. 1,221 people

22. 19 pounds

Practice 64

a. 1, 3, 9

b. $\dfrac{5}{7} > \dfrac{12}{21}$

c. $3\dfrac{5}{9}$

d. $\dfrac{8}{11}$

e. $\dfrac{3}{28}$ of the project

Problem Set 64

1. False
2. True
3. 5,971
4. 3,634
5. 68
6. 1,026
7. 1, 2
8. 1, 3, 5, 15
9. $\dfrac{9}{7} > \dfrac{6}{7}$
10. $\dfrac{21}{35} < \dfrac{4}{5}$
11. $\dfrac{7}{10}$
12. $\dfrac{4}{13}$
13. $8\dfrac{5}{7}$
14. $2\dfrac{1}{6}$
15. $\dfrac{14}{15}$
16. $\dfrac{3}{40}$
17. $2\dfrac{6}{7}$
18. $\dfrac{5}{12}$
19. $\dfrac{1}{18}$

20. $\dfrac{4}{5}$

21. $\dfrac{6}{7}$

22. $\dfrac{2}{9}$ of the job

Quiz 11

1. False
2. True
3. $24\dfrac{2}{3}$
4. $68\dfrac{5}{7}$
5. $31\dfrac{3}{19}$
6. $\dfrac{12}{7}$
7. $\dfrac{22}{9}$
8. $\dfrac{3}{8} > \dfrac{5}{16}$
9. $3\dfrac{1}{4} < \dfrac{15}{4}$
10. $\dfrac{3}{13}$
11. $\dfrac{7}{9}$
12. $\dfrac{1}{2}$
13. $11\dfrac{6}{7}$
14. $\dfrac{4}{15}$
15. $\dfrac{35}{48}$
16. 4
17. $4\dfrac{1}{6}$
18. $\dfrac{3}{32}$

19. $\dfrac{12}{77}$

20. $\dfrac{1}{24}$

21. 10

22. $\dfrac{20}{27}$

23. $\dfrac{6}{7}$

24. $\dfrac{5}{7}$ of the calzone

CHAPTER 12

Practice 65

a. $\dfrac{2}{5}$

b. $\dfrac{9}{14}$

c. $34\dfrac{3}{10}$

d. 0.7

e. $\dfrac{1}{8}$ of the harmonicas

Problem Set 65

1. True
2. True
3. $\dfrac{1}{9}$
4. $\dfrac{6}{7}$
5. $8\dfrac{7}{9}$
6. $4\dfrac{5}{12}$
7. $\dfrac{7}{16}$
8. $\dfrac{8}{63}$
9. $\dfrac{15}{16}$
10. $3\dfrac{3}{8}$
11. $\dfrac{35}{48}$
12. 50
13. $\dfrac{6}{7}$
14. 12.8
15. 0.5
16. $\dfrac{3}{10}$

17. $29\dfrac{1}{10}$
18. $\dfrac{9}{10}$
19. 17.1
20. 0.4
21. 0.2
22. $\dfrac{1}{7}$ of the bongos

Practice 66

a. $8\dfrac{1}{3}$

b. 73.89

c. $124\dfrac{57}{100}$

d. 0.04

e. 22 pounds

Problem Set 66

1. True
2. True
3. $\dfrac{5}{6} < \dfrac{6}{5}$
4. $5\dfrac{4}{7} = \dfrac{39}{7}$
5. $9\dfrac{6}{11}$
6. $8\dfrac{1}{2}$
7. $\dfrac{5}{21}$
8. $\dfrac{15}{56}$
9. $\dfrac{16}{21}$
10. 6
11. 225 stamps
12. 56 bottles
13. C
14. D
15. 0.8

16. 0.73
17. 65.24
18. $\dfrac{7}{10}$
19. $48\dfrac{39}{100}$
20. 0.6
21. 0.09
22. 35 pounds

Practice 67

a. $4\dfrac{3}{8}$

b. 81.03

c. 13.91

d. $73.89 < 73.98$

e. \$16,000

Problem Set 67

1. True
2. False
3. $19\dfrac{1}{5}$
4. $72\dfrac{5}{6}$
5. $\dfrac{13}{17}$
6. $\dfrac{5}{8}$
7. $\dfrac{3}{20}$
8. $5\dfrac{5}{6}$
9. $\dfrac{10}{13}$
10. $\dfrac{21}{32}$
11. B
12. E
13. 0.6
14. 38.05

15. $62\frac{9}{10}$

16. $\frac{43}{100}$

17. 20.3

18. 91.47

19. $5.24 < 7.6$

20. $5.38 > 5.31$

21. $36.49 < 36.94$

22. $15,000

Practice 68

a. $\frac{3}{4}$

b. 72.06

c. 419.74

d. 27.18

e. 9.23 miles

Problem Set 68

1. False
2. True
3. $\frac{2}{63}$
4. $\frac{2}{5}$
5. $\frac{5}{54}$
6. $\frac{27}{40}$
7. $\frac{4}{35}$
8. 4
9. 49.2
10. 0.36
11. $1\frac{7}{10}$
12. $820\frac{59}{100}$
13. 178.5
14. 95.03
15. $24.7 > 2.47$

16. $18.45 < 18.48$
17. $0.63 > 0.36$
18. 65.7
19. 27.2
20. 242.96
21. 27.53
22. 11.31 miles

Practice 69

a. $\frac{5}{6}$

b. $2.900 = 2.9$

c. 46.28

d. 568.23

e. 17.25 pounds

Problem Set 69

1. False
2. True
3. $24\frac{3}{5}$
4. $5\frac{3}{7}$
5. $\frac{5}{33}$
6. $\frac{4}{7}$
7. 36
8. $\frac{15}{56}$
9. 0.4
10. 32.75
11. $8\frac{9}{10}$
12. $\frac{47}{100}$
13. 0.8
14. 0.12
15. $84.37 < 84.39$
16. $129.6 > 12.96$
17. $7.8 = 7.800$
18. 507.51
19. 70.27

20. 68.13
21. 235.16
22. 22.35 pounds

Practice 70

a. 656.31
b. 404.214
c. 4 digits
d. 9.2722
e. 852.15 feet

Problem Set 70

1. True
2. True
3. $\frac{23}{27}$
4. $\frac{10}{3}$
5. $\frac{13}{14}$
6. $7\frac{4}{9}$
7. $\frac{1}{90}$
8. $\frac{18}{35}$
9. $\frac{5}{7}$ of the pecan bars
10. 53 pillows
11. 18.2
12. 395.71
13. 9,569.7
14. 614.12
15. 504.38
16. 247.037
17. 4 digits
18. 3 digits
19. 1,742.43
20. 141.335
21. 9.7552
22. 44.05 feet

Practice 71

a. $2\dfrac{8}{9}$

b. 707.635

c. 40.015

d. 10.77

e. 14 trips

Problem Set 71

1. True
2. False
3. 18
4. 31
5. 4
6. 5
7. $\dfrac{7}{80}$
8. $4\dfrac{1}{8}$
9. B
10. E
11. 2,049.36 $< 2,049.63$
12. 72.339 > 71.340
13. 43.735
14. 341.76
15. 449.412
16. 2.15
17. 80.309
18. 865.08
19. 11.8395
20. 15.24
21. 11.19
22. 17 trips

Practice 72

a. $\dfrac{4}{7}$

b. 44.162

c. 3.3

d. 0.0965

e. 90

Problem Set 72

1. True
2. False
3. 2,192
4. 31,569
5. 84
6. $\dfrac{3}{5}$
7. $41\dfrac{7}{10}$
8. $\dfrac{59}{100}$
9. 183.2
10. 47.91
11. 86.248
12. 285.02
13. 871.55
14. 69.084
15. 40.16
16. 9.0306
17. 30.42
18. 218.678
19. 3.67
20. 0.21
21. 0.0654
22. 80

Quiz 12

1. True
2. True
3. $\dfrac{12}{17}$
4. $\dfrac{2}{3}$
5. $\dfrac{18}{35}$
6. 6
7. $138\dfrac{6}{10}$
8. $\dfrac{73}{100}$
9. 0.4
10. 0.19

11. C
12. F
13. $316.24 > 31.624$
14. $58.279 < 58.792$
15. 85.317
16. 244.37
17. 43.252
18. 810.7
19. 1.049
20. 871.32
21. 182.364
22. 8.16
23. 0.0636
24. 1,111 people

CHAPTER 13

Practice 73

a. $9\frac{1}{6}$

b. 4.83

c. 75.642

d. 0.0896

e. 4.54 miles

Problem Set 73

1. True
2. False
3. $13\frac{4}{7}$
4. $685\frac{3}{4}$
5. $\frac{3}{50}$
6. $3\frac{3}{8}$
7. $\frac{6}{35}$
8. $\frac{15}{32}$
9. $\frac{2}{63}$
10. $\frac{20}{21}$
11. 147.9
12. 0.85
13. $91.345 < 91.348$
14. $40.0300 = 40.03$
15. 93.23
16. 48.681
17. 4.66
18. 91.909
19. 9.3174
20. 218.678
21. 0.0895
22. 3.17 miles

Practice 74

a. $\frac{13}{15}$

b. 2.782

c. 83.01005

d. 46.075

e. 15 pounds

Problem Set 74

1. False
2. True
3. 2
4. 9
5. $1\frac{5}{7}$
6. $1\frac{4}{10}$
7. $12\frac{4}{9}$
8. $\frac{11}{12}$
9. $\frac{14}{15}$
10. 4
11. A
12. E
13. 323.92
14. 32.116
15. 171.29
16. 3.894
17. 20.87
18. 13.0902
19. 22.8
20. 9.94
21. 24.528
22. 16.9 pounds

Practice 75

a. $\frac{4}{5}$

b. $\frac{1}{3}$

c. 70.095

d. 259.1

e. 19 hats

Problem Set 75

1. True
2. True
3. $\frac{1}{8}$
4. $\frac{5}{7}$
5. $19\frac{5}{8}$
6. $10\frac{4}{7}$
7. $\frac{12}{17}$
8. $\frac{1}{4}$
9. $7\frac{1}{10}$
10. $28\frac{39}{100}$
11. 826.7
12. 13.45
13. 116.463
14. 814.241
15. 363.64
16. 10.722
17. 4 digits
18. 3 digits
19. 28.1
20. 3,654.7
21. 394.6
22. 18 forks

Practice 76

a. $2\frac{1}{3}$

b. $495.820 < 495.87$

c. 105.547

d. 56.32

e. 46.7 pounds

Problem Set 76

1. True
2. True
3. $\dfrac{3}{32}$
4. $\dfrac{2}{3}$
5. $\dfrac{1}{42}$
6. $1\dfrac{7}{9}$
7. 0.7
8. 0.34
9. $47.521 < 56.512$
10. $398.64 > 398.460$
11. 77.353
12. 262.483
13. 65.449
14. 6.051
15. 38.43
16. 0.021
17. 421.58
18. 9,624.7
19. 41.3
20. 3.8
21. 24.31
22. 24.6 pounds

Practice 77

a. $\dfrac{1}{2}$
b. 729,410
c. 3.94
d. 0.6437
e. 141 miles

Problem Set 77

1. True
2. True
3. $\dfrac{15}{19}$
4. $\dfrac{10}{63}$

5. $\dfrac{8}{17}$
6. $\dfrac{1}{3}$
7. 41.6
8. 0.08
9. 90.413
10. 6.229
11. 175.51
12. 284.38
13. 173.705
14. 0.045
15. 91,746.2
16. 32,850
17. 5.3
18. 6.28
19. 81.35
20. 2.6957
21. 0.749
22. 247 miles

Practice 78

a. 34.63
b. 852.96
c. 0.1047
d. 0.07
e. $\dfrac{5}{12}$ of the whole pan

Problem Set 78

1. True
2. True
3. $\dfrac{4}{45}$
4. 7
5. 3,618.7
6. 21.75
7. 536.812
8. 41.844
9. 76.74
10. 37.5
11. 180.09
12. 43.24

13. 5.4188
14. 72.68
15. 130.5
16. 5.4921
17. 0.3068
18. 2.153
19. 0.07
20. 0.05
21. 0.08
22. $\dfrac{1}{6}$ of the whole cake

Practice 79

a. 0.0992
b. 0.0586
c. 0.6
d. 0.3
e. $\dfrac{1}{11}$ of the sports cars

Problem Set 79

1. True
2. True
3. 14
4. 18
5. $\dfrac{7}{30}$
6. $\dfrac{8}{27}$
7. 421.69
8. 59.309
9. 102.301
10. 97.82
11. 427.04
12. 308.34
13. 0.0822
14. 125.9
15. 84.73
16. 74.605
17. 0.0912
18. 0.04
19. 0.3

20. 0.9

21. 0.2

22. $\dfrac{2}{9}$ of the horses

Practice 80

a. 18.27

b. 0.007

c. 274.6

d. 0.4

e. $\dfrac{4}{7}$ of the pint

Problem Set 80

1. False

2. False

3. $\dfrac{5}{21}$

4. $\dfrac{3}{5}$

5. F

6. F

7. 7,572.9

8. 86.45

9. 465.846

10. 31.98

11. 27.321

12. 13.77

13. 3,810.2

14. 74.9

15. 0.17

16. 0.348

17. 0.002

18. 251.4

19. 0.04

20. 0.6

21. 0.3

22. $\dfrac{2}{9}$ of the pint

3. D

4. F

5. $70.0900 = 70.09$

6. $28.493 < 37.439$

7. 161.538

8. 198.37

9. 65.449

10. 60.15

11. 94.0207

12. 940.88

13. 25.56

14. 4.585

15. 0.0952

16. 1.329

17. 56,480

18. 0.78

19. 0.005

20. 7.34

21. 0.08

22. 0.7

23. 0.4

24. 137 rockets

Quiz 13

1. False

2. False

CHAPTER 14

Practice 81
a. $37.09
b. $0.02
c. 477.36
d. 16.42
e. 78

Problem Set 81
1. True
2. True
3. $1\frac{5}{12}$
4. $\frac{16}{7}$
5. $\frac{4}{9}$
6. $\frac{12}{35}$
7. $26.34
8. $61.85
9. $19.07
10. $0.72
11. $0.09
12. 15,606.1
13. 73.22
14. 812.254
15. 135.72
16. 25.316
17. 4.901
18. 6.3807
19. 17.23
20. 0.03
21. 0.8
22. 92

Practice 82
a. 0.028
b. 0.07
c. 0.2
d. $48.09
e. $29

Problem Set 82
1. True
2. True
3. $\frac{2}{21}$
4. 8
5. 125.8
6. 97.04
7. $27.15 > 23.098$
8. $48.195 < 48.951$
9. $173.25
10. $12.04
11. $0.07
12. 23.6493
13. 188.413
14. 0.036
15. 1,309.4
16. 8,270
17. 64.3
18. 0.09
19. 0.8
20. 0.2
21. $30.59
22. $36.24

Practice 83
a. $\frac{8}{9}$
b. 0.0652
c. 3.2
d. 17.48
e. $11.49

Problem Set 83
1. True
2. True
3. $\frac{8}{15}$
4. $\frac{2}{3}$
5. $6,294.03
6. $0.81
7. 163.02
8. 4.9057
9. $34.40
10. $27.65
11. 916.37
12. 604.94
13. 46.33
14. 0.0834
15. 0.37
16. 0.009
17. 2.7
18. 0.06
19. 3.1
20. 18.69
21. $13
22. $12.15

Practice 84
a. $8\frac{3}{4}$
b. 103
c. $32.86
d. 0.8
e. $31.47

Problem Set 84
1. False
2. False
3. $14\frac{6}{7}$
4. $9\frac{1}{2}$
5. 293.8
6. 71.04
7. 3
8. 6
9. 18
10. $33.14
11. $91.58
12. $34.45
13. $16.75
14. 204.972
15. 181.279
16. 6.867
17. 28.736
18. 5.0492

19. 2.45
20. 0.24
21. 0.6
22. $17.48

Practice 85
a. $74.18
b. 89.26
c. 0.072
d. $2.82
e. 8-pound bag

Problem Set 85
1. True
2. False
3. $\dfrac{12}{17}$
4. $\dfrac{20}{21}$
5. 591.3
6. 0.09
7. D
8. F
9. 91
10. 436
11. $70.38
12. $219.87
13. 43.639
14. 5.235
15. 59.79
16. 677.6
17. 29.6033
18. 0.063
19. 7,491.3
20. 28,560
21. $4.26
22. 6-pound box

Quiz 14
1. True
2. True
3. 286.7
4. 0.04

5. 85.26 > 85.179
6. 34.276 < 34.762
7. 74
8. 592
9. $61.09
10. $386.15
11. 28 hamburgers
12. 48 pages
13. 11,752.3
14. 515.607
15. 103.99
16. 449.4
17. 84.432
18. 21.973
19. 394.27
20. 1,590
21. 6.143
22. 0.19
23. 2.3
24. $17.47

CHAPTER 15

Practice 86
a. 95%

b. $\dfrac{7}{10}$

c. 0.024

d. 3.4

e. $2.36

Problem Set 86
1. True
2. True
3. 60%
4. 70%
5. 20%
6. 5
7. $\dfrac{5}{9}$
8. 17.1
9. 3,248.65
10. 94
11. 1,361
12. 84.213
13. 122.145
14. 24.584
15. 0.3
16. 0.018
17. $14.99
18. 71 soldiers
19. 3.54
20. 0.36
21. 2.3
22. $1.18

Practice 87
a. 25%

b. 95.935

c. 0.09136

d. 47.4

e. $8.55

Problem Set 87
1. False
2. False
3. 35%
4. 45%
5. 50%
6. 25%
7. 75%
8. 47.3
9. 208.59
10. 3,052.08
11. 71.4092
12. $95.26
13. $124.79
14. 36.48
15. 201.888
16. 0.028
17. 0.74015
18. 0.03289
19. 3.71
20. 1.3
21. 67.7
22. $48.75

Practice 88
a. 60

b. 22.02

c. 665.42

d. 46.731

e. 80 magnets

Problem Set 88
1. True
2. True
3. 50%
4. 75%
5. 5
6. 8
7. 180
8. 26.030 = 26.03
9. 93.157 < 93.175
10. 135
11. 6,582
12. 62.194
13. 26.354
14. 26.45
15. 782.84
16. 1,204.97
17. 51.76
18. 16.017
19. 172.3
20. 1.4
21. 0.2
22. 60 grandfather clocks

Practice 89
a. 210

b. 180.861

c. $\dfrac{3}{50}$

d. 102.4

e. $\dfrac{1}{9}$

Problem Set 89
1. True
2. False
3. 30%
4. 55%
5. 9
6. 100
7. $\dfrac{7}{100}$
8. $\dfrac{59}{100}$
9. $\dfrac{1}{50}$
10. 107.167
11. 728.104
12. 215.808
13. 996.48
14. 127.84
15. 0.387
16. 0.0994
17. 0.29
18. 0.007
19. 0.132
20. 5.9
21. 104.3

22. $\dfrac{4}{15}$

Practice 90
a. $\dfrac{1}{20}$
b. 29.404
c. 0.54
d. 5.134
e. $10

Problem Set 90
1. True
2. True
3. 0.4
4. 61.38
5. 24
6. 270
7. $\dfrac{61}{100}$
8. $\dfrac{1}{10}$
9. $275.13
10. $0.48
11. 23.221
12. 698.86
13. 463.23
14. 61.416
15. 0.25
16. 421.93
17. 9,060
18. 4.74
19. 4.8
20. 6.174
21. 28 trips
22. $6

6. 75%
7. 15
8. 160
9. $\dfrac{27}{100}$
10. $\dfrac{89}{100}$
11. 83.2
12. 6,113.57
13. 847
14. 1,037
15. 23.155
16. 40.27
17. 829.44
18. 448.98
19. 0.0896
20. 0.213
21. 7.1
22. 92.3
23. 2,112 people
24. $8

Quiz 15
1. True
2. True
3. 90%
4. 70%
5. 50%

CHAPTER 16

Practice 91
a. Line segment
b. 8 feet
c. $\dfrac{83}{100}$
d. 1.76
e. 1.32 miles

Problem Set 91
1. True
2. True
3. Point
4. Line
5. Line segment
6. 8
7. 4 inches
8. 5 feet
9. 20
10. 60
11. $\dfrac{73}{100}$
12. $\dfrac{29}{100}$
13. $3,518.69
14. $0.07
15. 70.013
16. 19.243
17. 2,975.2
18. 91.02
19. 14.23
20. 1.64
21. $14
22. 0.57 miles

Practice 92
a. B
b. D
c. 0.0948
d. 4.18
e. $1.56

Problem Set 92
1. True
2. False
3. Line segment
4. Line
5. 13
6. 12 inches
7. C
8. B
9. C
10. D
11. E
12. 91%
13. 7%
14. $\dfrac{51}{100}$
15. $\dfrac{93}{100}$
16. 99.897
17. 56.857
18. 12.443
19. 0.0711
20. 2.35
21. 9.16
22. $2.25

Practice 93
a. C
b. 630
c. 0.495
d. 1.37
e. 53.8 seconds

Problem Set 93
1. True
2. False
3. False
4. A
5. C
6. E
7. D
8. C
9. A
10. B

11. 35
12. 320
13. 14,146.5
14. 393.28
15. 29.944
16. 0.396
17. 3,521.7
18. 8,490
19. 4.6
20. 0.5
21. 1.24
22. 44.7 seconds

Practice 94
a. 22 feet
b. C
c. 0.072
d. 12.09
e. 85

Problem Set 94
1. True
2. True
3. 29 inches
4. 23 feet
5. B
6. D
7. C
8. D
9. B
10. 928.3
11. 42.76
12. 40
13. 84
14. 145.215
15. 175.392
16. 0.0876
17. 0.7
18. 0.054
19. 3.14
20. 0.14
21. 13.07
22. 89

Practice 95
a. Hexagon
b. $92.80
c. 93.328
d. 7.6
e. $14.65

Problem Set 95
1. True
2. False
3. Line
4. Line segment
5. B
6. A
7. Quadrilateral
8. Triangle
9. Octagon
10. 114.6
11. 37.84
12. $102.48
13. $58.40
14. 72.36
15. 31.938
16. 15.54
17. 53.824
18. 0.5803
19. 7.1429
20. 0.313
21. 3.8
22. $12.99

Practice 96
a. 36 inches
b. 432.417
c. 0.292
d. 10.31
e. 80 adult dogs

Problem Set 96
1. True
2. False
3. 100%
4. 25%

5. $\dfrac{93}{100}$
6. $\dfrac{57}{100}$
7. C
8. B
9. Triangle
10. Pentagon
11. 30
12. 33 inches
13. 24 feet
14. 137.71
15. 723.348
16. 577.71
17. 0.246
18. 1,079.2
19. 6,384.2
20. 0.72
21. 10.21
22. 120 monster trucks

Practice 97
a. 75
b. 64 square feet
c. 0.0966
d. 3.64
e. $11.12

Problem Set 97
1. True
2. True
3. $8,260.05
4. $0.37
5. $61.32 > 61.297$
6. $98.156 < 98.516$
7. 15
8. 360
9. D
10. C
11. 16 inches
12. 39 feet
13. 60
14. 48 square yards
15. 112 square inches

16. 36 square feet
17. 176.076
18. 0.0744
19. 2.37
20. 8.9
21. 5.76
22. $11.10

Practice 98
a. 5 feet
b. 96 square inches
c. 343.48
d. 0.0828
e. $31.50

Problem Set 98
1. False
2. True
3. 99%
4. 84%
5. C
6. B
7. A
8. 16 inches
9. 3 inches
10. 22
11. 36 feet
12. 64 square yards
13. 27 square miles
14. 70 square feet
15. 39.64
16. 533.75
17. 176.076
18. 0.0654
19. 4.21
20. 6.7
21. 1.46
22. $9

Practice 99
a. $\dfrac{3}{4}$
b. 52
c. 144 square feet

d. 7.04
e. $1.36

Problem Set 99
1. True
2. True
3. $\dfrac{87}{100}$
4. $\dfrac{1}{4}$
5. C
6. B
7. E
8. D
9. F
10. 24 yards
11. 8 feet
12. Quadrilateral
13. Hexagon
14. 30 inches
15. 26 feet
16. 55 square yards
17. 100 square inches
18. 228.42
19. 65.952
20. 6.7
21. 8.09
22. $5.46

16. 80 square yards
17. 81 square feet
18. 68.14
19. 822.52
20. 187.785
21. 0.0756
22. 39.7
23. 6.47
24. 53 laser canons

Quiz 16
1. False
2. True
3. 28
4. 540
5. 23 feet
6. 29 inches
7. C
8. E
9. D
10. B
11. A
12. 18 miles
13. 12 inches
14. 43
15. 20 yards

CHAPTER 17

Practice 100
a. 60 inches
b. 5,280 yards
c. 117 square yards
d. 6.47
e. 1,132 people

Problem Set 100
1. True
2. True
3. $538.02
4. $0.75
5. 36 inches
6. 15 feet
7. 3,520 yards
8. 28 inches
9. 16 feet
10. Triangle
11. Octagon
12. 90 yards
13. 41
14. 36 square feet
15. 96 square miles
16. 58.226
17. 17.261
18. 245.96
19. 20.504
20. 7.2
21. 8.65
22. 1,112 people

Practice 101
a. 64 ounces
b. 48 quarts
c. 144 square yards
d. 70.4
e. 41,925 dominoes

Problem Set 101
1. True
2. False
3. 73.9
4. 0.05
5. 48 inches
6. 21 feet
7. 32 ounces
8. 10 pints
9. 40 quarts
10. D
11. C
12. 36 inches
13. 33 yards
14. 90 square miles
15. 112 square feet
16. 428.28
17. 0.464
18. 1,257
19. 3,080
20. 5.9
21. 40.6
22. 21,875 soldiers

Practice 102
a. 4 feet
b. 8,000 pounds
c. 72.317
d. 0.0752
e. $41.55

Problem Set 102
1. True
2. True
3. 495
4. 3,022
5. 35
6. 200
7. 2 feet
8. 80 ounces
9. 14 pints
10. 144 ounces
11. 6,000 pounds
12. 55 square feet
13. 126 square inches
14. 1,321.21
15. 92.408
16. 525.84
17. 0.0702
18. 0.12
19. 0.087
20. 6.9
21. 9.84
22. $28.65

Practice 103
a. 108 inches
b. 50 decimeters
c. 31.785
d. 97.53
e. 100 bumblebees

Problem Set 103
1. True
2. True
3. $724.05
4. $0.89
5. 48.39 > 48.295
6. 71.043 < 71.304
7. 72 inches
8. 28 quarts
9. 48 ounces
10. 20 centimeters
11. 30 decimeters
12. 28 inches
13. 40 centimeters
14. 153.35
15. 16.715
16. 3,236.1
17. 15.327
18. 920.36
19. 1,750
20. 42.9
21. 51.34
22. 60 poodles

Practice 104
a. 5 quarts
b. 40 deciliters
c. 180 decigrams
d. 67.04
e. 5.68 miles

Problem Set 104
1. True
2. True
3. $\dfrac{47}{100}$
4. $\dfrac{1}{2}$
5. B
6. C
7. $84.70
8. $103.58
9. 24 feet
10. 3 quarts
11. 20,000 pounds
12. 30 deciliters
13. 140 decigrams
14. 54 square yards
15. 112 square meters
16. 41.08
17. 499.74
18. 4.7508
19. 0.6139
20. 7.3
21. 52.09
22. 7.12 miles

Practice 105
a. 192,000 ounces
b. 68 inches
c. 121 ounces
d. 0.01351
e. 12 ounces of potpourri

Problem Set 105
1. True
2. True
3. 75%
4. 100%
5. 472.8
6. 15.63
7. 5,280 yards
8. 160,000 ounces
9. 40 centimeters

10. 3 meters
11. 57 inches
12. 133 ounces
13. 38 centimeters
14. 49 decimeters
15. 400.506
16. 846.61
17. 1,537.2
18. 16.146
19. 0.01376
20. 8.8
21. 5.37
22. 8 ounces of fruit juice

Quiz 17
1. False
2. False
3. 42
4. 270
5. 60 decimeters
6. 224,000 ounces
7. 50 deciliters
8. 3 feet
9. 67 inches
10. 156 ounces
11. 32 inches
12. 19 feet
13. 32 meters
14. 64 yards
15. 112 square centimeters
16. 96 square miles
17. 554.85
18. 924.12
19. 874.8
20. 7.999
21. 64.3
22. 5.64
23. 40.3
24. $12.40

CHAPTER 18

Practice 106

a. 6.5
b. Point N
c. 152 ounces
d. 96.7
e. 675 miles

Problem Set 106

1. True
2. True
3. 820.5
4. 49.96
5. 6
6. $5\frac{1}{2}$
7. 4.5
8. Point B
9. Point G
10. 4 quarts
11. 21 feet
12. 100 decigrams
13. 101 ounces
14. 40 square feet
15. 84 square kilometers
16. 30.24
17. 517.14
18. 74,105
19. 2,930
20. 9.31
21. 96.8
22. 548 miles

Practice 107

a. $2\frac{3}{4}$ inches
b. 70 centimeters
c. 13.581
d. 7.06
e. $10.21

Problem Set 107

1. True
2. True
3. 4.5
4. $8\frac{1}{2}$
5. Point J
6. Point Q
7. $2\frac{1}{4}$ inches
8. $3\frac{1}{2}$ inches
9. $1\frac{3}{4}$ inches
10. 12,320 yards
11. 60 centimeters
12. 62 millimeters
13. 89 meters
14. 97.224
15. 110.32
16. 21.042
17. 0.03294
18. 0.7
19. 0.193
20. 9.7
21. 6.04
22. $3.21

Practice 108

a. 128,000 ounces
b. −3
c. −8
d. 6.27
e. $3.43

Problem Set 108

1. False
2. False
3. 96,000 ounces
4. 50 deciliters
5. C
6. B
7. $2\frac{1}{2}$ inches
8. $4\frac{1}{4}$ inches
9. +3
10. −4
11. −1
12. −5
13. −7
14. 78 square meters
15. 150 square yards
16. 109.14
17. 16.167
18. 3.9802
19. 0.1024
20. 37.4
21. 2.97
22. $2.68

Practice 109

a. −6
b. −10°F
c. 4 decimeters
d. 27.968
e. −6°F

Problem Set 109

1. True
2. True
3. $1,374.02
4. $0.65
5. $102.83 > 97.14$
6. $54.648 < 54.864$
7. 5
8. −6
9. −2
10. −5
11. −5
12. 20°F
13. −5°F
14. 60 quarts
15. 5 decimeters
16. 48 kilometers
17. 55 inches
18. 264.08
19. 34.254

20. 3,716
21. 43.142
22. −10°F

Practice 110
a. −3
b. 105 hours
c. $15,000
d. 7.26
e. $84.60

Problem Set 110
1. True
2. False
3. 40
4. 120
5. $4\frac{1}{2}$ inches
6. $2\frac{3}{4}$ inches
7. +12
8. −8
9. −3
10. −4
11. 10°F
12. −15°F
13. Apples; Mangoes
14. 90 kilograms
15. 40°F
16. 80°F
17. Increasing
18. 94.277
19. 244.51
20. 12.4
21. 4.67
22. $91.40

Practice 111
a. 230 centimeters
b. School supplies
c. Food
d. 8.8672
e. $3.75

Problem Set 111
1. True
2. True
3. $\dfrac{73}{100}$
4. $\dfrac{1}{4}$
5. −2
6. −7
7. −3
8. 15°F
9. −20°F
10. 18,000 pounds
11. 5 quarts
12. 60 deciliters
13. 170 centimeters
14. Nantucket Wireless; Gibraltar Insurance
15. 90 million dollars
16. 2.5 dollars per gallon
17. Decreasing
18. Mushrooms
19. Crust
20. 189.42
21. 9.5195
22. $2.85

Quiz 18
1. True
2. True
3. $3\frac{1}{2}$
4. 7.5
5. −4
6. −5
7. $3\frac{3}{4}$ inches
8. −5°F
9. 5 quarts
10. 80 deciliters
11. 121 ounces
12. James; Tyler
13. 350 stamps
14. 4 inches
15. Increasing
16. Junior
17. Freshman
18. 105 square centimeters
19. 160 square feet
20. 2,116
21. 23.495
22. 5.8
23. 8.07
24. 120 maids

ADDITIONAL TOPICS

Practice 112
a. 107 inches
b. 39
c. 4
d. 93.7
e. 57 jeep patrolmen

Problem Set 112
1. True
2. False
3. True
4. 639.5
5. 81.24
6. 68 quarts
7. 160,000 ounces
8. 116 inches
9. 5%
10. Decreasing
11. Chinese
12. 35%
13. 27
14. 20
15. 4
16. 34 centimeters
17. 60 feet
18. 20.28
19. 497.04
20. 9.7
21. 67.3
22. 52 firefighters

Practice 113
a. 116
b. 64
c. 5 yards
d. 7.545
e. $24

Problem Set 113
1. True

2. True
3. −2
4. −8
5. 27
6. 33
7. 6
8. 96
9. 32
10. 42
11. 16,000 pounds
12. 4 yards
13. 70 centimeters
14. Thistle
15. 250 pounds
16. Comedy
17. 35%
18. 7.049
19. 0.03292
20. 4.5
21. 7.95
22. $27

Practice 114
a. 259
b. 45
c. 0.86
d. 0.95
e. 11.44 miles

Problem Set 114
1. True
2. True
3. 45
4. 210
5. −4
6. −11
7. 27
8. 5
9. 192
10. 63
11. 70 kilograms
12. Increasing
13. Pecan
14. 60%
15. 171 square inches

16. 207 square meters
17. 4,874.4
18. 0.0236
19. 4.7
20. 0.74
21. 0.65
22. 8.72 miles

Practice 115
a. $? = 8$
b. $? = 35$
c. 3.78
d. 0.85
e. $10.95

Problem Set 115
1. True
2. True
3. −11
4. −9
5. 29
6. 8
7. 145
8. 64
9. $? = 6$
10. $? = 15$
11. $? = 7$
12. $? = 8$
13. $? = 11$
14. $? = 31$
15. Nick
16. 70 hours
17. 923.67
18. 31.741
19. 3.67
20. 2.68
21. 0.95
22. $13.95

Practice 116
a. $? = 15$
b. $? = 9$

c. $\dfrac{1}{4}$

d. 1.82

e. 150 garbage disposals

Problem Set 116

1. True
2. True
3. −13
4. −8
5. 43
6. 16
7. ? = 7
8. ? = 30
9. ? = 21
10. ? = 9
11. Basketball
12. 50%
13. C
14. A
15. A
16. $\dfrac{1}{2}$
17. $\dfrac{1}{2}$
18. $\dfrac{1}{3}$
19. 1.034
20. 3.65
21. 1.92
22. 240 faulty telescopes

Add. Topics Quiz

1. True
2. True
3. −13
4. −8
5. 33
6. 8
7. 165
8. 54
9. ? = 8

10. ? = 32
11. ? = 16
12. ? = 7
13. Business
14. 50 students
15. Nitrogen
16. 83%
17. $\dfrac{1}{2}$
18. $\dfrac{1}{7}$
19. 4,294.5
20. 0.0534
21. 1.064
22. 9.68
23. 0.35
24. 23 pom-poms